entrée
sans maîtresse

Magdalena
Bruno Gibert

Père Castor
Flammarion

C'est la rentrée.

Les vacances sont terminées.

Fini le calme

pour la petite école des Platanes.

Les tables sont propres,

les puzzles rangés,

les feutres bouchés, tout est prêt.

Enfin le grand jour arrive.

Devant l'école
Marion, Faustine,
les jumeaux farceurs
Kévin et Audric,
César le diablotin,

Théodor de la lune,
et son petit frère
Louis le grincheux,... attendent.

Quand le portail s'ouvre,
il y a beaucoup d'enfants
et de bruit.

Mais voilà :

la maîtresse n'est pas là.

Elle n'est pas rentrée.

Personne n'a de ses nouvelles.

Qui va faire classe ?

On demande

à Monsieur le maire.

Il répond :

– En attendant

de retrouver la maîtresse

de la petite école des Platanes,

perdue tout en haut

de la montagne,

on va s'organiser.

Ainsi lundi,

Monsieur le jardinier,

le papi des jumeaux,

est venu faire classe.

Éloïse a planté des lentilles

dans du coton

pour faire des cheveux verts

à des bonhommes

coquilles d'œuf.

Ainsi mardi,

Monsieur le boulanger,

le papa de Louis,

est venu faire classe.

Audric a fait du pain cœur

et Kévin du pain tortue.

César est reparti blanc
de la tête aux pieds.
Personne ne l'a secoué
de peur de provoquer
un nuage de farine
dans le village.

Ainsi jeudi,
Madame le peintre,
la maman de Faustine,
est venue faire classe.
Elle a porté des vieilles
chemises de papa
qu'on a attachées dans le dos
avec des pinces à linge.

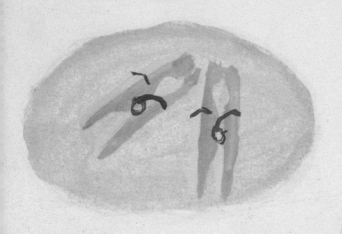

César a trempé
la tresse de Marion
dans un pot de peinture
et Marion a barbouillé
le visage de Louis,
qui a pleuré.

À la fin,
on ressemblait
tous à des Indiens.

Ainsi vendredi,
Monsieur le maire,
le papa d'Éloïse,
est venu faire classe.
On a fait de l'éducation
civique.
Il nous a appris à voter
pour choisir
qui arroserait les plantes,
qui distribuerait les gâteaux...
Théo a proposé de voter
pour un toboggan géant,
mais c'était l'heure
des mamans, dommage !

Ainsi samedi,
Monsieur le garagiste,
le papa de César,
est venu faire classe.
On a tous apporté nos vélos.
Faustine a appris
à gonfler les pneus
et à démonter le guidon...
Éloïse a fait du vélo
sans les petites roues...

On est rentré avec des bleus,
des bosses, des genoux écorchés,
des pantalons troués
et du cambouis plein les mains.

One
symb
The
fee

En fin de semaine
est arrivée une lettre
d'Amérique, de New York.

ATE BUILDING
YORK CITY
buildings in the world,
progress in architectural skill,
erected in 1931 and is 1472

K13

POST CARD

Address

Mr le maire,
ers parents,
ers élèves,
j'ai raté l'avion,
j'arriverai lundi.
Bye Bye
Votre maîtresse.

École des platane
Village des Alpill
Le Jura
Fran

La classe était moins bien
rangée qu'à la rentrée :
les jeux étaient mélangés,
c'était un peu le bazar !

Quand la maîtresse
est arrivée, elle a crié :
– Ho la laaaaa !

Ainsi lundi,
la maîtresse est venue
faire classe et on a rangé.

Autres titres
de la collection :

La poule, le coq et le cochon

La veille de Noël, deux pauvres fermiers
se résignent à manger leurs animaux…
Mais la poule, curieuse, a tout entendu !

Hubert et les haricots verts

Hubert déteste les haricots verts
et refuse de les manger. Le Grand
Mamamouchi est obligé d'intervenir…

C'est mon nid !

Un matin de printemps, Loly la lutine
trouve un œuf tombé de son nid.
Elle l'installe chez elle. L'œuf éclôt…

Chacun chez soi

Léa et Léo déménagent.
Ils sont contents d'avoir maintenant
chacun leur chambre. Mais le soir…

Gricha caché

Gricha, Nina et Boris jouent
à cache-cache. Gricha découvre un arbre
creux et s'enfonce dans le trou…